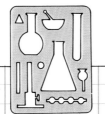

Initiation à la science

La géographie

Dougal Dixon — François Carlier

Gamma - Trécarré

Introduction

La géographie est l'étude de la surface terrestre. Elle examine la forme, la grandeur et la position des continents et des océans, et la façon dont se sont formés les divers paysages. Elle s'occupe aussi des hommes, en observant par exemple dans quels lieux ils vivent, et pourquoi ils y sont.

Ce livre s'occupe d'abord de la surface changeante de la Terre. De nouvelles montagnes surgissent constamment de sous l'écorce terrestre, et des montagnes anciennes sont érodées par le vent, la pluie et le gel. Cette double action de construction et de destruction a modelé la surface terrestre.

Mais peut-être le mot « Terre » n'est-il pas le terme exact pour désigner notre planète : nous voyons en effet dans le chapitre des océans que plus des deux tiers de la surface terrestre sont couverts d'eau. Et il existe des paysages sous-marins encore plus étonnants que ceux des terres émergées.

Un autre océan entoure toute notre planète : c'est l'océan gazeux de l'atmosphère, qui rend possible l'existence de la vie sur la Terre. L'énergie du Soleil provoque dans cette atmosphère des systèmes mondiaux de vents, qui déterminent les diverses régions climatiques de la surface terrestre.

Le climat d'une région consiste dans le schéma général et habituel du temps qui y règne année après année. Le temps est la situation atmosphérique au jour le jour. Il est spécialement variable dans les régions à climat tempéré, et nous verrons que ceci provient de la rencontre dans ces régions des vents chauds venant de l'équateur et des vents froids qui arrivent des pôles.

Ce livre examine enfin dans quelles sortes de lieux et régions les hommes ont choisi de s'établir, et pour quelles raisons. Ils ont modifié les contrées pour les adapter à leurs besoins. Certains de ces changements ont entraîné des avantages importants, mais d'autres ont compromis sérieusement l'équilibre délicat de la nature. La géographie peut enseigner aux hommes le bon usage de leur planète.

L'eau est l'agent principal qui modifie la surface terrestre, que ce soit l'eau de la mer qui broie et abat les falaises, ou celle des pluies qui érode et abaisse les montagnes au long des millénaires. L'eau de pluie est portée dans l'atmosphère, cette fine couche de gaz qui enveloppe la Terre, par la circulation des vents. Ces déplacements d'air déterminent les diverses régions climatiques de la surface terrestre, des déserts polaires glacés aux forêts tropicales. Les hommes se sont établis dans toutes ces régions, en des villages, villes et grandes cités. Les géographes étudient quels sont les effets, favorables ou néfastes, de cette occupation sur l'environnement.

Le modelage de la surface terrestre

Atmosphère et temps

Sommaire

Les zones géographiques   La géographie et l'homme

Modelage de la surface terrestre

Avez-vous jamais escaladé une montagne et contemplé la vallée qui s'étend dans le bas? Ses pentes descendent vers le niveau d'un cours d'eau, puis la vallée s'étale jusqu'au bout de l'horizon. Par une journée bien claire, votre vue peut porter à plus de 50 kilomètres. Imaginez maintenant que quelqu'un d'autre regardait de la même place, il y a quelques siècles ou millénaires.

Eh bien, le paysage n'était alors pas le même: il y a des milliers d'années, il disparaissait peut-être sous une couche de glace épaisse de plusieurs centaines de mètres, et des millions d'années auparavant l'océan a pu recouvrir le tout. La surface terrestre subit en effet des changements constants. De nouvelles roches se forment à l'intérieur de la Terre et sont poussées vers la surface, où elles constituent de nouvelles chaînes de montagnes. En même temps, les montagnes et collines existantes sont rongées lentement par un processus d'érosion qui se poursuit au long des millénaires.

L'érosion agit en tout lieu de la surface terrestre. Sa cause principale est l'action de l'eau sur les roches. L'eau contient en effet des produits chimiques dissous qui amollissent les roches. Puis celles-ci s'effritent peu à peu et sont emportées par le ruissellement des eaux. L'eau de pluie qui coule sur les pentes des montagnes emporte les débris de roches vers les torrents, rivières et fleuves, et finalement dans l'océan. Il y a encore d'autres agents d'érosion: le gel qui fait éclater les roches, les glaciers — ou longues traînées mouvantes de neige comprimée — qui découpent des vallées dans les flancs des montagnes, et le sable emporté par le vent qui use la surface des roches. Dans quelques millions d'années, les montagnes qui vous sont familières seront peut-être rongées complètement par toutes ces forces d'érosion.

▷ Ce paysage, regardé du haut d'une montagne, révèle les divers processus qui ont contribué à le former. La montagne elle-même est constituée de roches formées dans l'écorce terrestre, et qui se dressèrent il y a des millions d'années. Mais dès qu'elles eurent émergé, elles commencèrent à être rongées. La pluie et le gel ont brisé les roches en blocs et particules. Les glaciers et les cours d'eau creusèrent des vallées dans les plateaux et emportèrent de la terre jusque dans les basses plaines. Enfin des hommes sont venus s'y installer: ils établirent des cultures et des pâturages, et ont construit des villages et des villes.

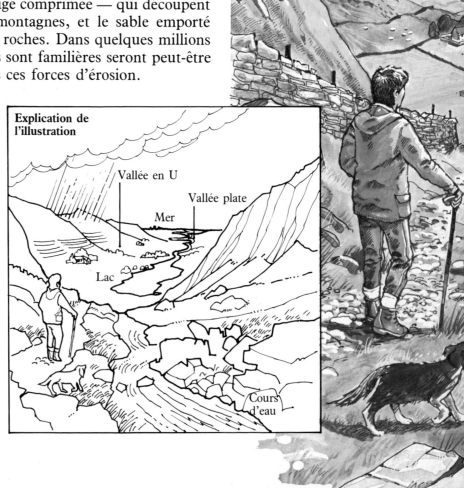

Explication de l'illustration

Vallée en U

Vallée plate

Mer

Lac

Cours d'eau

Le cycle des roches

Les roches dures poussées hors de l'écorce terrestre constituent l'épine dorsale de tout paysage. Mais les chaînes de montagnes sont rongées peu à peu par les intempéries : elles deviennent du sable et de la boue, qui sont emportés par le vent et les cours d'eau et qui se déposent en épaisses couches de sédiments. Ceux-ci formeront d'autres roches, moins dures.

De nouvelles montagnes surgissent

Source d'un cours d'eau

Plaine sédimentaire

Mer

Poussée vers le haut

Roche dure Roche semi-dure Roche tendre

Érosion par les cours d'eau

Vallée en V d'un cours d'eau

La pluie qui tombe sur les montagnes forme des torrents et des rivières. Ces cours d'eau creusent d'abord dans la roche de profondes vallées en forme de V, et emportent des blocs de roche, des galets et du sable. Quand la pente du sol diminue, le cours d'eau devient moins rapide et cesse de creuser le sol en profondeur. Une petite partie des matières emportées par l'eau se dépose, mais le reste est transporté plus loin. Enfin le cours d'eau, devenu lent, dépose de grandes quantités de matières sous forme de sédiments ou alluvions, qui comblent et aplanissent sa vallée, où il va serpenter en méandres.

La vallée d'un cours d'eau jeune a la forme d'un V.

Cours d'eau dans son jeune âge

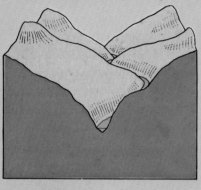

Âge moyen

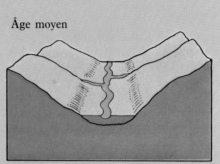

Âge avancé

Alluvions

Érosion par les glaciers

Un glacier

Les glaciers se forment dans les pays très froids et dans les montagnes. Ces énormes traînées de neige comprimée et de glace, épaisses parfois de plusieurs centaines de mètres, creusent des vallées caractéristiques en forme de U. Leur écoulement est très lent : de quelques centimètres à quelques kilomètres par an. Mais ils peuvent emporter des blocs de roche pesant des milliers de tonnes. Quand le glacier fond, il dépose les matières qu'il transportait en des tas appelés moraines. Une partie de celles-ci est emportée par l'eau de fusion du glacier. De vastes territoires d'Amérique du Nord et d'Europe sont couverts de moraines déposées par d'anciens glaciers.

Une vallée de glacier a la forme d'un U.

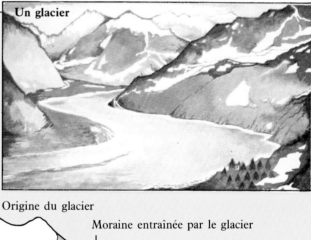

Origine du glacier

Moraine entraînée par le glacier

Moraine déposée par le glacier

L'eau de fusion du glacier forme un cours d'eau

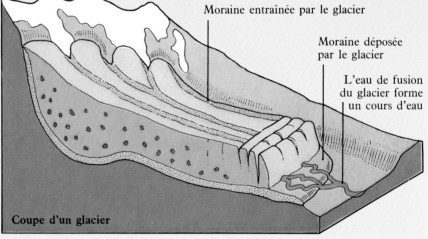

Coupe d'un glacier

Érosion par la pluie

La terre est un mélange de petites particules de roches érodées et de restes décomposés de plantes et d'animaux. Comme la terre est friable et assez légère, elle est emportée facilement par l'eau de pluie qui ruisselle à sa surface. Cette eau pénètre aussi dans la terre et peut provoquer un glissement de toute la couche superficielle le long d'une pente. Alors des fissures apparaissent dans les routes posées sur la couche, et les murs et barrières s'inclinent. Les troncs des arbres se recourbent, car ceux-ci tentent de se redresser à mesure que leur base s'incline par suite du glissement du sol de surface. Des espèces de marches, appelées terrassettes, peuvent se former dans la couche de surface, quand des racines d'herbes la maintiennent ensemble.

Glissement de terrain

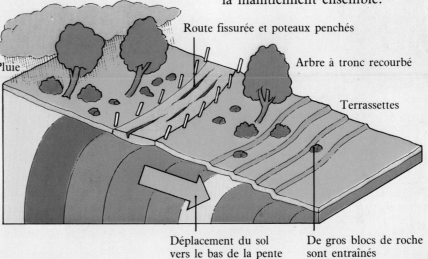

Pluie

Route fissurée et poteaux penchés

Arbre à tronc recourbé

Terrassettes

Déplacement du sol vers le bas de la pente

De gros blocs de roche sont entraînés

Érosion par le gel

Quand l'eau gèle et devient de la glace, son volume augmente. C'est ce qui fait éclater les canalisations d'eau en hiver. Un effet semblable se produit dans les roches : l'eau s'infiltre dans leurs petites fissures, puis gèle, ce qui élargit les fissures. Elles deviennent ainsi des crevasses dont les bords s'écartent, jusqu'à ce que des pans de roches se détachent et s'écroulent le long des pentes. Cette forme d'érosion est courante dans la haute montagne : dans certaines régions des Alpes et des montagnes Rocheuses, on entend parfois en hiver le claquement sec des roches qui se fendent. Les débris des roches brisées forment sur les pentes des amas d'éboulis (qu'on appelle aussi clapier). Les roches érodées de cette façon par le gel se reconnaissent à leurs bords irréguliers et aigus. Cette érosion est un des facteurs principaux d'abaissement des montagnes, qui continue au long des siècles.

Le gel a fait éclater ce tuyau d'eau

De l'eau occupe une crevasse

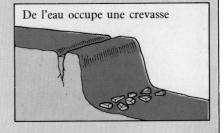

L'eau gèle et se dilate

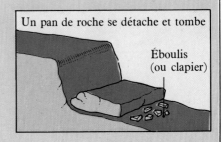

Un pan de roche se détache et tombe

Éboulis (ou clapier)

Érosion par le vent

Le vent peut éroder assez rapidement les roches dans les régions sèches. Là où il y a peu de pluie, les parcelles du sol ne peuvent se coller ensemble : elles forment donc du sable. Le vent peut emporter ce sable avec une grande force, de sorte qu'il use les roches des déserts sur lesquelles il est projeté. Vous pouvez ressentir un effet semblable sur une plage, lorsque le sable soulevé par un vent violent picote votre visage. Les roches des déserts, usées de cette façon, deviennent à leur tour du sable, qui s'ajoute aux masses de sable déjà existantes.

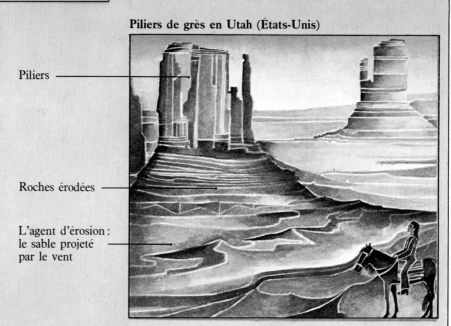

Piliers de grès en Utah (États-Unis)

Piliers

Roches érodées

L'agent d'érosion : le sable projeté par le vent

Érosion par l'eau souterraine

Stalactites et stalagmites

De l'eau qui s'infiltre et s'enfonce dans le sol est appelée souterraine. À une certaine profondeur, la terre et les roches sont complètement imbibées d'eau. Ce niveau forme la surface d'une nappe d'eau souterraine, ou nappe aquifère. Lorsque cette nappe atteint la surface du sol, par exemple au flanc d'une montagne, l'eau s'en écoule sous la forme d'une source. Dans les terrains constitués de roches calcaires, la matière des roches est dissoute par l'acide faible que contient l'eau de pluie. Cette eau creuse ainsi des couloirs et des grottes dans la roche, spécialement au niveau de la surface de la nappe aquifère. Dans les grottes se forment des colonnes de sels calcaires appelées stalagtites et stalagmites. Elles sont constituées par des produits minéraux contenus dans l'eau souterraine qui goutte du plafond (stalagtites) et tombe à terre (stalagmites). Lorsque le niveau de la nappe d'eau baisse pour l'une ou l'autre raison, un nouveau réseau de couloirs et de grottes se crée sous l'ancien, qui reste vide et à sec. Ce processus peut se répéter plusieurs fois.

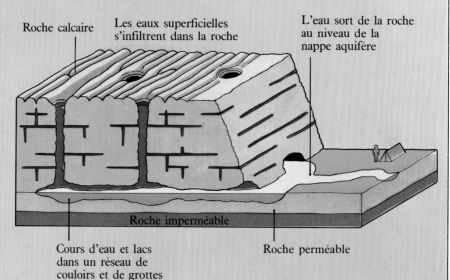

Roche calcaire

Les eaux superficielles s'infiltrent dans la roche

L'eau sort de la roche au niveau de la nappe aquifère

Roche imperméable

Cours d'eau et lacs dans un réseau de couloirs et de grottes

Roche perméable

Érosion des côtes et transport des débris

Les vagues qui s'abattent sur les côtes finissent par les ronger. Lorsque la côte est vallonnée, ses crêtes et ses creux deviendront des caps et des baies. Les bords élevés des crêtes forment des falaises, qui sont érodées plus ou moins selon la dureté de leurs roches (1). Lorsqu'une pointe s'y forme, les vagues la contournent et battent ses flancs (2). Ainsi la pointe devient de plus en plus étroite, et est finalement percée par des grottes et des arches (3). Quand celles-ci s'écroulent, il ne subsiste que des groupes d'îlots (4), qui peuvent se prolonger sous la surface de l'eau par une ligne de récifs.

Découpage des côtes

Érosion des pointes rocheuses

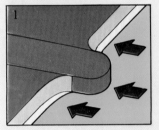

La mer érode plus vite les roches tendres.

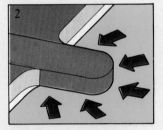

Les vagues et courants contournent la pointe.

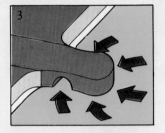

Leur action concentrée creuse la base de la pointe.

L'arche s'écroule et laisse des îlots séparés de la côte.

Le déplacement du sable

Le sable apporté dans la mer par les fleuves, ou provenant de l'émiettage des côtes, est déplacé par les vagues et les courants marins. Il s'entasse souvent en bancs de sable sous-marins qui sont dangereux pour la navigation. Il forme aussi les plages qui bordent les côtes. Mais le sable n'y reste pas longtemps immobile. Celui qui se trouve hors de l'eau est emporté par le vent et forme des dunes. Les vagues qui frappent le sable des plages sous un certain angle, l'entraînent le long de la côte et le déposent plus loin. Ainsi peut

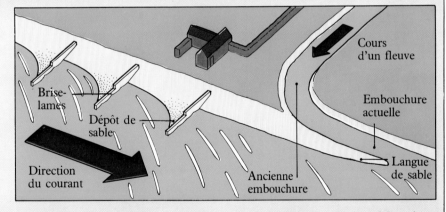

se former une bande ou langue de sable à l'embouchure d'un fleuve. Pour protéger les plages, des digues appelées brise-lames sont construites à partir de la côte et s'avancent dans la mer : elles empêchent que le sable soit enlevé des plages par les courants marins, les vagues et les marées. Certaines plages ne peuvent être maintenues que par ce moyen.

11

Mers et océans

La plus grande partie de la surface terrestre, environ les sept dixièmes, est couverte d'eau. Et si toutes les terres de notre planète étaient égalisées, elles se trouveraient sous une couche d'eau épaisse de 2 500 mètres. Plus que toute autre caractéristique, les océans distinguent la Terre des autres planètes du système solaire, et y créent des conditions spéciales.

Un seul océan entoure en réalité toute la Terre, mais les géographes y distinguent plusieurs océans. Parmi ceux-ci, le plus grand est l'océan Pacifique, qui couvre près du tiers de la surface terrestre. L'ensemble de l'océan Atlantique et de l'océan Indien occupe un autre tiers. Une grande part de l'océan Arctique, autour du pôle Nord, est couverte d'une épaisse couche de glace.

Au fond des océans s'étend un «paysage» de chaînes de montagnes, de gorges profondes, de plaines et de volcans. Ces montagnes sont parfois assez hautes pour émerger des eaux, en formant des îles au milieu des océans, comme l'île de l'Ascension dans l'océan Atlantique et les îles Hawaii dans le Pacifique. De telles îles sont souvent les sommets de volcans, qui ont surgi du fond de l'océan.

Sans cette énorme quantité d'eau, la vie ne pourrait exister sur la Terre. Les océans sont en effet la source de presque toute la pluie, et les courants océaniques répartissent sur la Terre la chaleur reçue par elle du Soleil : ils procurent ainsi à notre planète une température modérée et assez régulière. Ce fut aussi dans les océans qu'apparurent il y a trois milliards d'années les premières formes de vie, qui évoluèrent ensuite et s'établirent sur les terres émergées, mais en restant dépendantes de l'eau. Les vivants ne pouvaient se développer que dans des milieux adaptés à leurs besoins, et c'est l'eau qui modela en ce sens toute la surface de la Terre.

▷ Les mers et océans érodent constamment le pourtour des terres émergées. Mais la mer peut aussi produire de nouvelles terres : les atolls (ou îles coralliennes), qui sont constitués par les squelettes calcaires de milliards d'animaux marins.

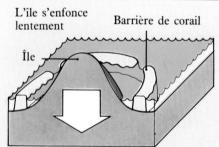

L'île s'enfonce lentement — Barrière de corail — Île

Le corail grandit — Lagune

L'île a disparu — Atoll

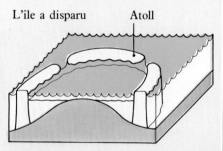

Formation d'un atoll
Les processus géologiques peuvent faire surgir des îles volcaniques du fond marin, et des îles existantes peuvent s'enfoncer sous les eaux. Les coraux sont de petits animaux qui se fixent sur le fond marin autour de l'île.

Les jeunes coraux croissent par-dessus les squelettes des coraux morts, et ainsi s'édifient des barrières de corail. Si l'île s'enfonce alors et disparaît sous les flots par l'action d'un processus géologique, il subsiste un atoll ou île en forme d'anneau,

constituée par les coraux qui ont continué à croître. Son centre est occupé par une lagune d'eau salée. Les coraux ne peuvent vivre que dans les eaux marines tropicales et limpides, loin des côtes et embouchures boueuses des continents.

Les terres et les mers

La surface terrestre peut être observée selon deux hémisphères, dont l'un ne comprend presque que des mers, et l'autre la plupart des terres. D'un point situé très haut au-dessus de l'océan Pacifique, on apercevrait comme seules terres les régions côtières de l'Amérique, de l'Australie et de l'Asie. D'un point situé au-dessus de l'hémisphère des terres, on peut apercevoir l'Europe, presque toute l'Asie et l'Afrique, et une bonne part de l'Amérique du Nord. Dans cet hémisphère, il y a près de la moitié de mers.

Les proportions de terres et de mers

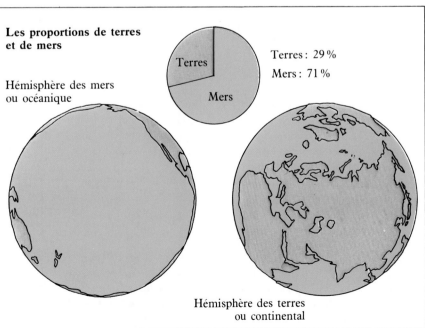

Terres : 29 %
Mers : 71 %

Hémisphère des mers ou océanique

Hémisphère des terres ou continental

Le fond des océans

Le fond de l'océan comporte divers niveaux. Près du continent et en prolongement de celui-ci, se trouve le plateau continental. Il descend en pente douce jusqu'à une profondeur d'environ 130 mètres, et s'étend sur une largeur pouvant aller de 70 à 1 200 kilomètres à partir du rivage. Puis le fond descend brusquement au talus continental. Une descente plus douce, la pente continentale, s'étend entre le talus continental et la grande plaine abyssale. Celle-ci est coupée de fosses.

Plateau continental
Sa surface est recouverte de sédiments que les fleuves ont apportés dans la mer. De nombreux poissons vivent dans cette zone, où s'effectuent la plupart des pêches commerciales.

Talus continental
Il est coupé de gorges profondes. Les sédiments apportés par les fleuves ainsi que ceux du plateau continental se déversent dans ces gorges. Le talus marque la fin du socle continental.

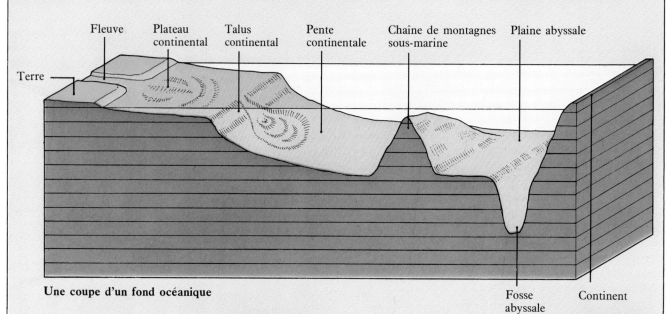

Fleuve — Plateau continental — Talus continental — Pente continentale — Chaîne de montagnes sous-marine — Plaine abyssale

Terre

Fosse abyssale — Continent

Une coupe d'un fond océanique

La plaine abyssale s'étend à une profondeur d'environ 4 000 mètres et occupe la plus grande partie du fond océanique. Vers le milieu de cette plaine se dressent des chaînes de montagnes escarpées, qui émergent assez souvent pour former des îles en plein océan. Le plateau continental est bordé parfois de profondes tranchées, les fosses abyssales ; leur fond est couvert d'épaisses couches de sédiments, situées à des profondeurs allant jusqu'à onze kilomètres.

Plaine abyssale
Elle est couverte de sédiments abyssaux, constitués de boues qui contiennent les restes de plantes et d'animaux morts, venant des eaux supérieures.

Fosses abyssales
Même les plus profondes contiennent des êtres vivants. Des vers et des étoiles de mer y vivent dans une obscurité totale et sous des pressions énormes.

Les marées

Marée haute et marée basse

Le long de la plupart des côtes, le niveau de la mer monte et descend deux fois par jour. Ces marées sont causées par l'attraction que la Lune et le Soleil exercent sur les océans, en élevant leur niveau, tandis que la Terre tourne sur elle-même.

Lignes de marées sur le sable

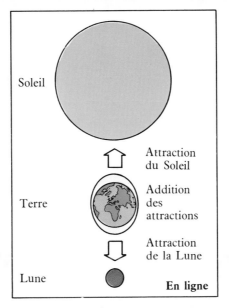

Soleil

Terre

Attraction du Soleil

Addition des attractions

Attraction de la Lune

Lune

En ligne

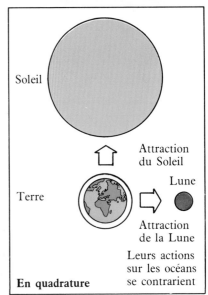

Soleil

Terre

Attraction du Soleil

Lune

Attraction de la Lune

Leurs actions sur les océans se contrarient

En quadrature

Marées de vive-eau

Quand le Soleil et la Lune sont alignés avec la Terre, leur action combinée renforce la marée.

Marées de morte-eau

Quand les positions du Soleil et de la Lune sont à angle droit, les marées sont les plus faibles.

Courants océaniques

Des manchots près de l'équateur

Les courants océaniques

Courants chauds Courants froids

Courant Nord-Pacifique

Gulf Stream

Courant Sud-Équatorial

Îles Galapagos

Courant de Humboldt

Les eaux des océans se déplacent constamment. Des courants emportent les eaux chaudes des régions tropicales vers les pôles Nord et Sud, et d'autres ramènent les eaux froides vers l'équateur. Ceci contribue à garder l'ensemble de la Terre à une température relativement égale. Les eaux chaudes du Gulf Stream longent le nord-ouest de l'Europe. Ceci permet de faire pousser des plantes tropicales sur la côte sud-ouest de la Grande-Bretagne, qui serait sans cela trop froide. Des manchots arrivent jusqu'aux îles Galapagos, situées près de l'équateur dans l'océan Pacifique : ils y sont amenés par les eaux froides du courant de Humboldt, qui montent en effet jusque-là. Ces divers courants se déplacent à la surface de l'océan, mais d'autres peuvent s'écouler en profondeur dans des directions opposées.

L'atmosphère

La Terre est entourée d'une fine enveloppe de gaz que nous appelons l'atmosphère. Celle-ci protège la Terre durant le jour de la chaleur ardente du Soleil, et elle empêche durant la nuit que la chaleur terrestre s'échappe dans l'espace. L'atmosphère est constituée principalement de deux gaz, l'azote et l'oxygène, mais elle transporte aussi de la vapeur d'eau partout sur la Terre.

Bien qu'elle soit composée de gaz, l'atmosphère a un certain poids, et elle est retenue autour de la Terre par la pesanteur. Environ les neuf dixièmes de l'atmosphère sont contenus dans la couche, épaisse de 9 à 16 kilomètres, que nous appelons la troposphère. C'est dans cette zone que se rencontrent tous les êtres vivants de l'atmosphère et que se produisent la plupart des variations du temps. À l'altitude de 400 kilomètres, l'atmosphère très raréfiée se confond peu à peu avec le vide de l'espace.

Le temps et les climats des diverses régions du monde sont la conséquence des déplacements des masses d'air dans l'atmosphère. L'énergie nécessaire à ces mouvements est fournie par le Soleil. Son rayonnement échauffe les terres et les océans, et ceux-ci chauffent à leur tour l'air qui se trouve au-dessus d'eux. Mais cet échauffement ne se produit pas de façon égale sur tout le globe terrestre, et il en résulte des zones d'air chaud et d'autres d'air froid. L'air chaud, plus léger, s'élève, et de l'air froid vient prendre sa place. Ainsi se forment des systèmes de vents, appelés vents dominants. Ceux-ci emportent de la vapeur d'eau qui s'est formée au-dessus des mers et qui retombera en pluie, peut-être sur des continents distants de milliers de kilomètres.

▷ L'air chaud qui monte forme des courants appelés ascendances thermiques. Les planeurs y volent pour prendre de l'altitude ; ils dépendent aussi des vents dominants de chaque région. Les oiseaux marins utilisent de semblables ascendances pour évoluer autour des falaises.

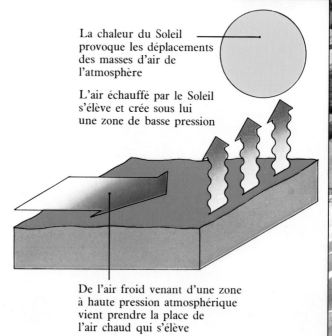

Les zones de pressions

L'air échauffé par le Soleil se dilate. Un même espace contient donc une moindre quantité de cet air, et celle-ci exerce de ce fait un moindre poids ou « pression » sur l'air qui se trouve au-dessous. L'air chaud, qui se dilate et s'élève, forme donc sous lui des zones de basse pression atmosphérique. De l'air plus froid, venant de zones à plus haute pression, se glisse sous l'air chaud et le remplace. S'il vient de la mer, il est chargé de vapeur d'eau et peut apporter de la pluie. Comme l'air ne s'écoule pas vers les zones à haute pression, celles-ci jouissent ordinairement d'un temps stable.

La chaleur du Soleil provoque les déplacements des masses d'air de l'atmosphère

L'air échauffé par le Soleil s'élève et crée sous lui une zone de basse pression

De l'air froid venant d'une zone à haute pression atmosphérique vient prendre la place de l'air chaud qui s'élève

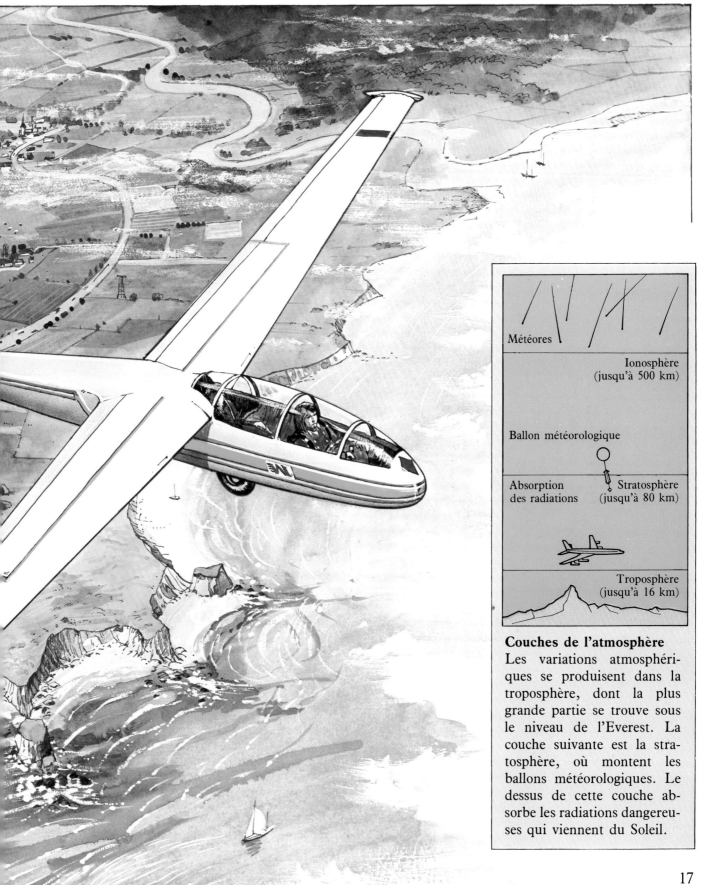

Météores

Ionosphère
(jusqu'à 500 km)

Ballon météorologique

Absorption
des radiations

Stratosphère
(jusqu'à 80 km)

Troposphère
(jusqu'à 16 km)

Couches de l'atmosphère
Les variations atmosphériques se produisent dans la troposphère, dont la plus grande partie se trouve sous le niveau de l'Everest. La couche suivante est la stratosphère, où montent les ballons météorologiques. Le dessus de cette couche absorbe les radiations dangereuses qui viennent du Soleil.

Mouvements de l'atmosphère

Vent violent

À l'équateur, le rayonnement solaire frappe le sol de face et l'échauffe donc le plus fort. Près des pôles, le rayonnement doit traverser une couche d'air plus épaisse et frappe en oblique une plus grande surface terrestre : son effet est donc moindre. Il en résulte que l'air est échauffé le plus à l'équateur : il s'élève donc et crée une zone de basse pression. Aux pôles, l'air froid et dense descend : il pousse devant lui des masses d'air vers des zones à plus basse pression. Ces conditions créent des vents habituels, appelés dominants. Tous ces vents sont déviés par la rotation de la Terre. Parmi les vents dominants, les alizés soufflent vers les régions équatoriales à basse pression, tandis que les vents polaires orientaux viennent en oblique des pôles. Ces vents polaires se réchauffent en passant dans les régions tempérées : ils créent bientôt une zone de basse pression qui attire d'autres vents chauds et obliques, appelés occidentaux.

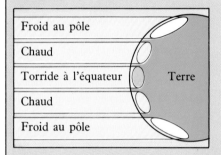

Froid au pôle	
Chaud	
Torride à l'équateur	Terre
Chaud	
Froid au pôle	

Les zones de pression

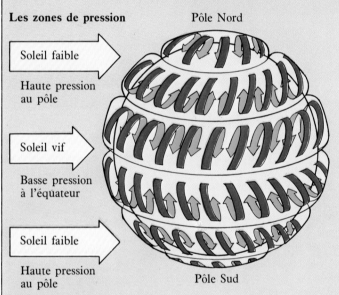

Soleil faible

Haute pression au pôle

Soleil vif

Basse pression à l'équateur

Soleil faible

Haute pression au pôle

Pôle Nord

Pôle Sud

Les vents dominants

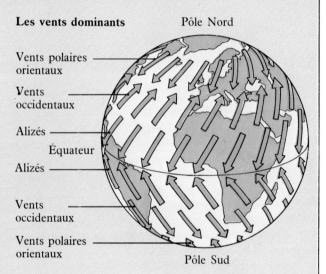

Pôle Nord

Vents polaires orientaux

Vents occidentaux

Alizés

Équateur

Alizés

Vents occidentaux

Vents polaires orientaux

Pôle Sud

Vents de mer ou de terre

Des vents locaux et changeants sont causés par les différences d'échauffement entre la terre et la mer. Pendant le jour, la terre s'échauffe plus vite que la mer. L'air chaud qui se forme alors au-dessus de la terre s'élève, et de l'air plus froid venant de la mer vient prendre sa place, en produisant la brise de mer. Le soir, la terre se refroidit plus vite que la mer, et il en résulte une brise fraîche qui va de la terre vers la mer durant la nuit.

Durant le jour

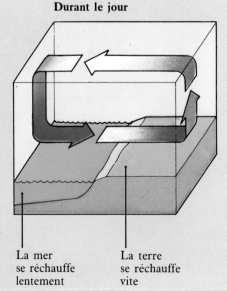

La mer se réchauffe lentement

La terre se réchauffe vite

Durant la nuit

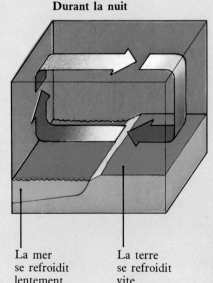

La mer se refroidit lentement

La terre se refroidit vite

18

Le cycle de l'eau

L'eau contenue dans les océans, l'atmosphère et la terre circule sans cesse. La chaleur du Soleil évapore l'eau de la surface des mers, des lacs, des cours d'eau et des terres humides, et les vents emportent la vapeur d'eau, notamment au-dessus des terres. Lorsque la température de l'air baisse suffisamment, la vapeur se condense en gouttelettes qui forment les nuages. Si elle baisse encore plus, par exemple quand l'air passe au-dessus de montagnes, les gouttelettes deviennent plus grosses et tombent en pluie. La pluie répandue sur la terre se rassemble en rivières et fleuves, et aboutit finalement dans la mer. Ainsi s'achève le cycle de l'eau, qui recommence sans cesse.

Vapeur condensée sur une fenêtre

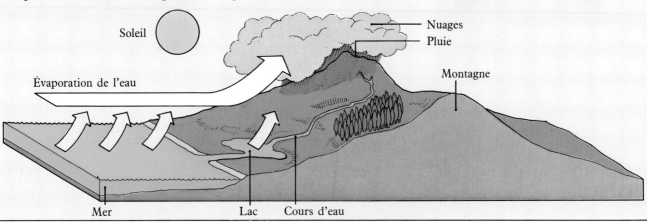

Soleil

Nuages

Pluie

Montagne

Évaporation de l'eau

Mer

Lac

Cours d'eau

Les régions climatiques

Les vents dominants et les pluies qu'ils amènent sur les terres déterminent dans diverses régions du monde des conditions climatiques semblables. Il y a par exemple une bande de forêts équatoriales sur les divers continents en bordure de l'équateur, et des bandes de déserts à des latitudes correspondantes des hémisphères Nord et Sud. Ce schéma général est modifié par diverses conditions locales : la présence d'une chaîne de montagnes, la proximité ou l'éloignement de la mer. Les cinq zones climatiques représentées ci-contre pourraient être détaillées en régions plus petites, montrant ces différences.

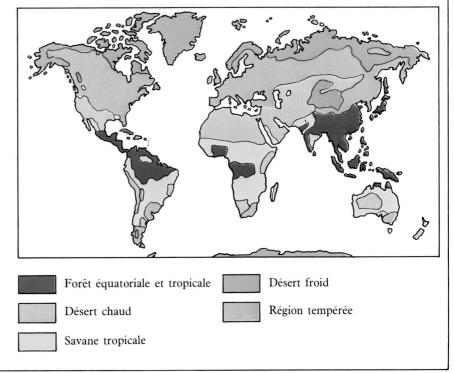

▓ Forêt équatoriale et tropicale

Désert chaud

Savane tropicale

Désert froid

Région tempérée

Forêt équatoriale

Le long de l'équateur, la montée continue de l'air chaud maintient une pression atmosphérique constamment basse. Celle-ci attire des vents dominants de nord-est et de sud-est, appelés alizés, généralement très chargés de vapeur d'eau. Leur air humide monte à l'équateur et devient donc plus froid, de sorte que sa vapeur d'eau se condense et tombe sous forme de pluies violentes. Ces conditions se maintiennent tout au long de l'année. Dans cette chaleur humide pousse la dense forêt équatoriale. Les pluies régulières et abondantes forment de grands fleuves dans ces régions, tels que l'Amazone en Amérique du Sud, le Zaïre en Afrique, et le Mékong en Asie.

Le Soleil est au zénith et chauffe fortement le sol. L'air chaud monte et dégage son humidité en des pluies abondantes.

Des vents dominants humides viennent de la mer.

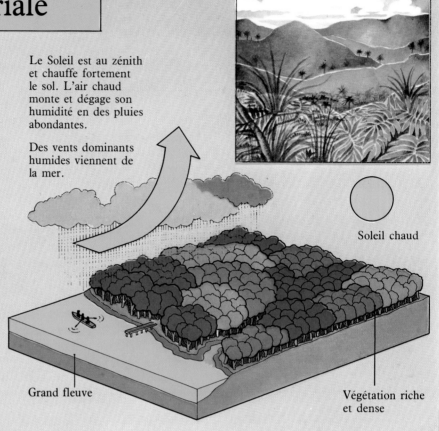

Forêt équatoriale

Soleil chaud

Grand fleuve

Végétation riche et dense

Désert chaud

Le long des tropiques des hémisphères Nord et Sud s'étendent deux bandes de haute pression. Elles sont produites par l'air qui a monté à l'équateur, tout en se refroidissant et en perdant son humidité, et qui redescend aux tropiques. Cet air sec s'étale vers le nord et le sud, en formant des vents qui n'apportent pas de pluie et qui créent donc une région désertique. La ceinture de déserts de l'hémisphère Nord comprend ceux du sud-ouest des États-Unis et du Mexique, le Sahara, le désert d'Arabie, et celui de Thar en Inde. La ceinture de l'hémisphère Sud comprend le désert d'Atacama en Amérique du Sud, celui du Namib en Afrique, et ceux d'Australie.

De l'air sec descend de l'atmosphère et forme les vents dominants.

Désert chaud

Soleil chaud et pas de pluies

20

Savane tropicale

Entre la forêt équatoriale et les ceintures de déserts s'étendent des zones à caractères intermédiaires entre ces extrêmes. Durant la saison chaude, le Soleil y est au zénith, et sa chaleur crée de basses pressions atmosphériques qui attirent les vents humides. La saison fraîche amène au contraire une zone de hautes pressions qui suscite des vents secs. L'alternance des saisons, humide puis sèche, cause le développement des herbages propres aux savanes. Les herbes poussent bien parce qu'elles survivent aux saisons sèches, alors que celles-ci ne permettent pas la croissance des arbres. Les animaux ont tendance à ne venir dans ces régions que durant la saison humide.

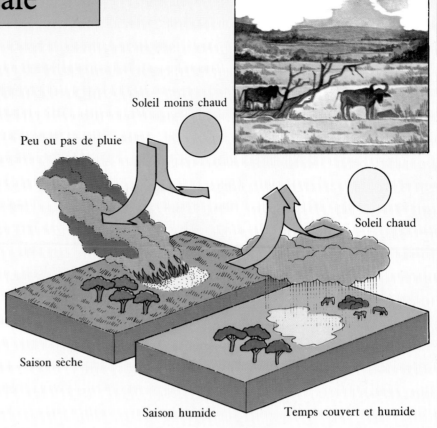

Savane tropicale

Soleil moins chaud

Peu ou pas de pluie

Soleil chaud

Saison sèche

Saison humide

Temps couvert et humide

Désert froid

Autour des pôles Nord et Sud, il fait toujours froid. Ceci maintient une zone constante de hautes pressions sur ces régions : de l'air froid et sec descend sur elles et s'étale en formant des vents glacés. Les vents dominants partent des pôles, sont déviés par la rotation de la Terre, et viennent obliquement de l'est ; ils soufflent selon le même schéma que les vents des déserts chauds. Les mers y sont généralement gelées en une banquise continue ou couvertes de glaces flottantes. Une couche gelée ou « permafrost » demeure dans le sol même en été. L'eau ne peut donc s'y infiltrer profondément, et de nombreux lacs formés par la neige fondue couvrent les terres durant l'été.

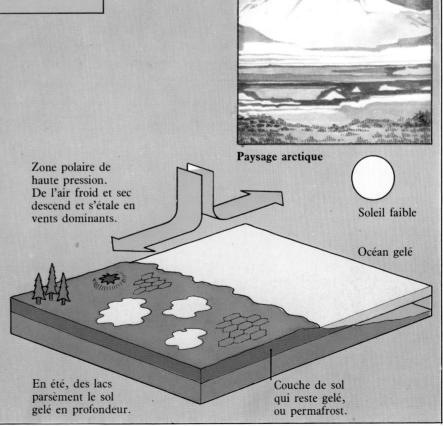

Paysage arctique

Zone polaire de haute pression. De l'air froid et sec descend et s'étale en vents dominants.

Soleil faible

Océan gelé

En été, des lacs parsèment le sol gelé en profondeur.

Couche de sol qui reste gelé, ou permafrost.

21

Les saisons et le temps

Dans les régions de forêts équatoriales, le climat reste à peu près le même tout au long de l'année. Mais les zones situées au nord et au sud de l'équateur connaissent des changements de temps saisonniers : il fait souvent beaucoup plus chaud en été qu'en hiver, et les mois d'été sont d'ordinaire plus secs. Ces variations proviennent de l'inclinaison de l'axe de rotation de la Terre, par rapport à l'orbite de son déplacement annuel autour du Soleil. Ainsi l'hémisphère Nord est plus incliné vers le Soleil en été, et s'en écarte de façon correspondante en hiver. La situation est inverse pour l'hémisphère Sud, de sorte que son été se place durant l'hiver de l'hémisphère Nord.

Dans les zones tempérées, le temps ne change d'ailleurs pas seulement d'après les saisons. Un jour d'été peut y être sec et ensoleillé, et le suivant froid et pluvieux. Cela provient de la rencontre, dans ces régions, de deux groupes de vents dominants : les vents occidentaux chauds qui viennent des tropiques, et les vents polaires orientaux. Les lignes de rencontre entre ces masses d'air s'appellent des fronts, et c'est là que le temps est tellement variable et instable. Ces fronts forment des bandes qui tournent autour du globe terrestre et qui entraînent avec elles des types de temps différents et changeants.

Comme dans les autres zones climatiques, le temps des zones tempérées est modifié par les influences qu'exercent les terres et les mers. Édimbourg, capitale de l'Écosse, se trouve par exemple à la même distance de l'équateur et des pôles que Moscou. Mais les hivers sont beaucoup plus froids à Moscou, et les étés plus chauds, parce que cette ville est située profondément à l'intérieur d'un continent. Au contraire, Édimbourg se trouve au bord de la mer et jouit même d'un climat sensiblement plus doux que celui des lieux situés quelques kilomètres plus à l'intérieur des terres.

Printemps

Automne

Printemps
Au cours du printemps, le temps se réchauffe, et les jours deviennent progressivement plus longs. Les graines qui sont restées endormies dans le sol durant l'hiver commencent à germer, et les insectes réapparaissent.

Été
C'est la saison où le temps est le plus chaud. Le Soleil monte haut dans le ciel, et les vents les plus importants qui atteignent les régions tempérées à ce moment viennent des tropiques. Plantes et animaux vivent intensément.

Automne
En automne, le temps commence à se refroidir, et les jours se raccourcissent sensiblement. Les feuilles tombent des arbres, et les plantes produisent des graines qui germeront l'année suivante. Les oiseaux migrateurs partent.

Hiver
Durant l'hiver, le Soleil est le plus bas dans le ciel, et ses rayons sont plus faibles parce qu'ils doivent traverser l'atmosphère en oblique. Les journées ont le moins d'heures de clarté et le temps est généralement froid. La nature dort.

Été

Hiver

Les saisons

La Terre tourne autour du Soleil en décrivant une orbite. Elle effectue ce tour complet en une année. Mais en même temps, la Terre tourne aussi sur elle-même, ce qui cause les jours et les nuits. Son axe de rotation est une ligne imaginaire qui traverse la Terre du pôle Sud au pôle Nord. Cet axe est penché de $23^1/_2$ degrés par rapport au plan formé par l'orbite. Il en résulte que pendant une partie de l'année le pôle Nord est penché vers le Soleil, et six mois plus tard il penche en sens opposé. C'est pourquoi les pôles Nord et Sud ont à tour de rôle six mois de clarté solaire ininterrompue (le Soleil tourne au-dessus de l'horizon), puis six mois de nuit. Aux latitudes moindres, comme par exemple dans le nord de l'Europe et du Canada, le « soleil de minuit » ne peut s'observer que pendant quelques jours.

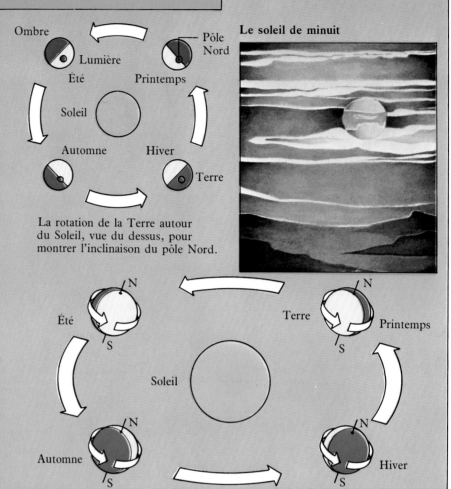

La rotation de la Terre autour du Soleil, vue du dessus, pour montrer l'inclinaison du pôle Nord.

Le soleil de minuit

Les fronts polaires

Une carte du temps

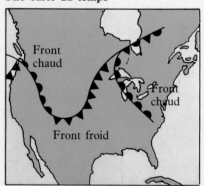

Front chaud

Front chaud

Front froid

Les fronts chauds et les fronts froids se rencontrent dans les régions tempérées, au nord et au sud de l'équateur.

Équateur

●●●● Front chaud

▼▼▼▼ Front froid

Vents froids polaires

Vents chauds

La surface de rencontre entre deux grandes masses d'air est appelé un front. Il existe deux grandes zones, l'une dans l'hémisphère Nord et l'autre dans l'hémisphère Sud, où se ren-contrent les masses d'air chaud venant des tropiques et les masses d'air froid d'origine polaire. Le devant d'une masse d'air froid qui progresse est appelé front froid, et le devant d'une telle masse d'air chaud, front chaud. Les divers types de rencontres et d'interactions de ces masses d'air déterminent les conditions de temps variables des régions à climat tempéré.

Le temps frontal

Dans l'hémisphère Nord, les zones des fronts se déplacent vers l'est, en tournant autour du globe. Quand deux fronts se rencontrent, ils commencent à tourner en spirale l'un autour de l'autre. Une avancée d'air chaud est ainsi encerclée par de l'air polaire plus froid. Des nuages se forment dans les deux fronts, et le passage d'un front provoque souvent des pluies. Les photos prises par les satellites montrent très clairement ces fronts.

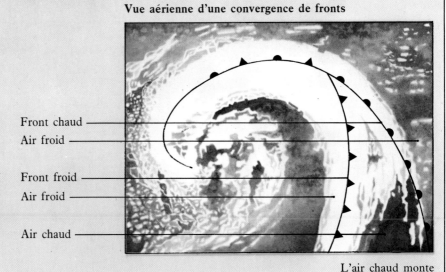

Vue aérienne d'une convergence de fronts

Front chaud
Air froid
Front froid
Air froid
Air chaud

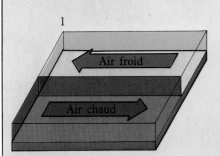

1

L'air chaud et l'air froid se déplacent en des sens opposés, aux latitudes moyennes.

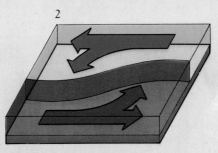

2

Les masses d'air chaud et d'air froid commencent à tourner l'une autour de l'autre.

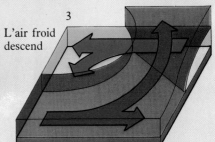

3

L'air froid descend

L'air chaud monte

L'air chaud monte finalement au-dessus de l'air froid, en tournoyant en spirale.

Le temps aux latitudes moyennes

Les masses d'air chaud et d'air froid se déplacent en des directions contraires (1). Les deux fronts commencent à se contourner, et l'air chaud, plus léger, se met à monter au-dessus de l'air froid (2). Ceci accentue l'effet de spirale, et le front froid qui s'insinue sous la masse d'air chaud pousse celle-ci davantage vers le haut (3). Au passage du front chaud en contact avec la masse d'air froid, l'air chaud ascendant laisse tomber son humidité sous forme de pluie (4). Dans la bande d'air chaud emprisonnée, le temps reste stable pendant quelque temps (5). En bordure du front froid, l'air chaud monte très vite, et il peut y avoir des pluies violentes (6)

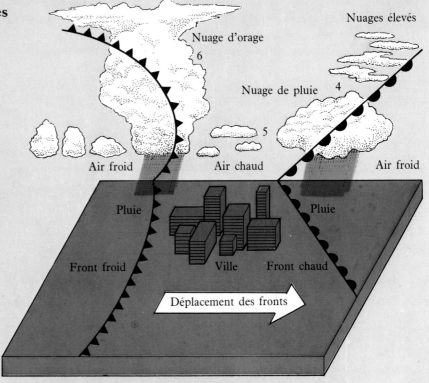

Nuage d'orage
6
Nuages élevés
Nuage de pluie
4
5
Air froid
Air chaud
Air froid
Pluie
Pluie
Front froid
Ville
Front chaud
Déplacement des fronts

Les nuages

L'air contient toujours de la vapeur d'eau, même celui qui se trouve au-dessus des déserts les plus secs. Mais cette vapeur n'apparaît sous forme de nuages que si elle est condensée en gouttelettes, et cette condensation est produite par l'abaissement de la température de l'air. Ainsi donc, l'air chaud peut contenir beaucoup plus de vapeur d'eau que l'air froid, avant que des nuages y apparaissent. Divers types de nuages se forment aux différentes altitudes, et chacun d'eux est associé à un certain type de temps.

Cirrus
Ce sont les nuages les plus élevés. Ils sont constitués de cristaux de glace et ont un aspect chevelu. Ils annoncent un changement de temps, et assez souvent du mauvais temps.

Altocumulus
Nuages des altitudes moyennes, qui sont répartis en petites masses régulières, donnant au ciel un aspect pommelé ou moutonné. Ils sont souvent associés à une période de beau temps.

Stratus
Nuages bas formant une couche continue, qui peut être fine et assez claire, ou bien épaisse et grise. Ce type de nuages provoque souvent des pluies fines continues et de la bruine.

Cumulo-nimbus
La base de ces nuages est souvent assez basse, mais leur sommet plat, en forme d'enclume, peut s'élever à 18 000 mètres, où la vapeur d'eau gèle. Ils se forment lorsque de l'air chaud monte rapidement, étant par exemple soulevé par de l'air froid. Cette montée rapide cause des frottements qui produisent de l'électricité et une abondante condensation de vapeur. Ce sont des nuages d'orage, avec éclairs et fortes pluies.

Strato-cumulus
Nuages d'altitude moyenne, assez semblables aux stratus, mais contenant des masses nuageuses plus épaisses qui dépassent du dessous. Ces nuages se trouvent dans les masses d'air chaud.

Cumulus
Nuages blancs à contours nets, ayant une base plate et un sommet arrondi ou bourgeonnant. Ces nuages cotonneux qui flottent dans le ciel bleu sont souvent un signe de beau temps.

Pluie, neige et grêle

Les nuages peuvent dégager leur humidité sous forme de pluie, de neige ou de grêle. Les gouttelettes de pluie commencent à se former autour de particules de glace ou de poussière. Quand ces gouttelettes fusionnent, elles deviennent assez grosses pour tomber sous forme de pluie. Les gouttelettes gèlent et s'unissent en formant des flocons de neige, quand elles se trouvent dans de l'air à moins de 0°. Ceci se produit en hiver ou à grande altitude. De la grêle se forme lorsque de l'air monte rapidement dans un nuage d'orage : il soulève et amène les gouttes de pluie dans une zone d'air glacial. Cela peut se produire plusieurs fois avant que les grêlons tombent sur le sol.

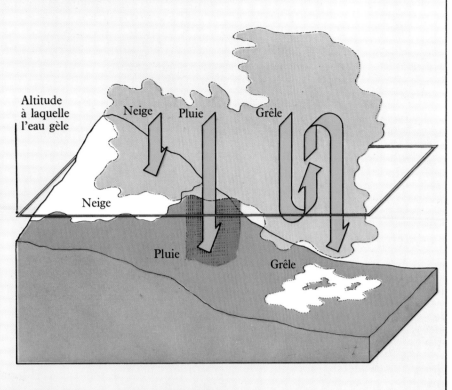

Une station météorologique

Nous pouvons mesurer les conditions atmosphériques au moyen de divers instruments. Des thermomètres indiquent les températures maximales et minimales pour une période donnée, et peuvent enregistrer les variations de température. Le pluviomètre recueille l'eau de pluie qui tombe et en mesure la quantité. L'hygromètre indique le degré d'humidité de l'air, ou quantité de vapeur d'eau qu'il contient. La girouette et le moulinet de l'anémomètre indiquent la direction et la vitesse du vent. En notant ces mesures, vous pouvez constituer un tableau des variations du temps dans votre région. Les météorologistes établissent de pareils tableaux à l'échelle du monde.

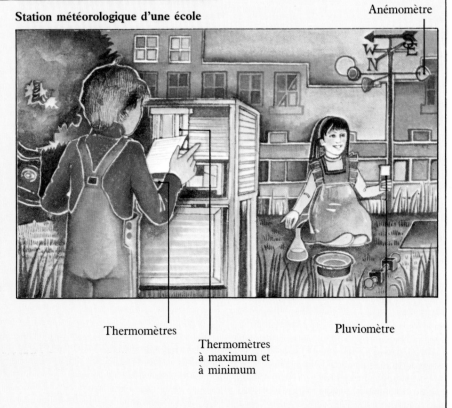

Station météorologique d'une école

L'établissement des hommes

Il n'y a presque aucune région du monde où les hommes ne se sont pas établis. Ces établissements sont parfois restreints, comprenant par exemple une ou deux familles avec leur bétail, mais ils peuvent également être aussi importants que la ville de New York.

Il existe toujours des raisons pour qu'un établissement humain soit situé là où il est. Si vous regardez un atlas géographique, vous remarquerez que la plupart des grandes villes du monde sont situées au bord de la mer ou d'un fleuve important. La raison en est qu'elles se sont développées en tant que centres commerciaux, en important ou exportant des marchandises pour les régions environnantes. Les villes situées à l'intérieur des terres se trouvent souvent au croisement de deux ou plusieurs routes commerciales, terrestres ou fluviales. Le commerce amena la prospérité, qui permit aux villes de grandir et d'accueillir plus de population.

Les établissements agricoles, que sont les fermes et villages, ont besoin de sol fertile et d'un approvisionnement en eau pour les cultures, le bétail et la population. Les vallées des cours d'eau fournissent cela, et c'est pourquoi elles sont souvent très peuplées. Ainsi, une part importante de la population de l'Inde vit dans la vallée fertile et bien arrosée du Gange.

Un autre facteur qui peut déterminer la situation d'un établissement est la possibilité de le défendre en temps de guerre contre des attaques ennemies. Beaucoup de villes et de villages furent établis à l'origine sur une élévation, dans un but défensif.

La situation des nouvelles villes construites au cours de ce siècle dépend moins des facteurs précédents. Beaucoup d'entre elles furent établies près de nouvelles usines ou mines, pour loger les travailleurs, ou à proximité d'autres villes surpeuplées.

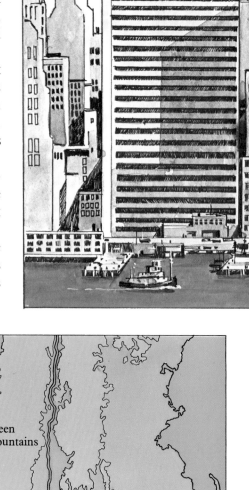

▷ New York est un cas typique de ville établie en un lieu de transit. Depuis trois siècles, des émigrants venus d'Europe se sont installés aux États-Unis, et la plupart y entrèrent par le port de New York. La ville est située à l'embouchure de l'Hudson, qui constitue une voie de pénétration vers l'arrière-pays des monts Appalaches. Sa position sur l'île de Manhattan, protégée de l'océan Atlantique par la grande île de Long Island, était idéale pour l'installation de quais portuaires. Le sol de granite de ce site fut ensuite un excellent fondement pour l'établissement de nombreux et hauts gratte-ciel.

Monts Adirondacks

Connecticut

Green Mountains

Monts Catskill

Mohawk

Hudson

Long Island

Océan Atlantique

New York

0   50   100 km

La situation de New York

Le peuplement des États-Unis

L'Amérique du Nord fut peuplée par des hommes originaires du monde entier. Les Indiens d'Amérique sont venus d'Asie au cours de la dernière période glaciaire. Les Espagnols arrivèrent au 15e siècle et s'établirent dans le sud-ouest. Les Anglais et les Français occupèrent la côte est et le centre. Des Africains et des Indiens d'Asie pénétrèrent via les Antilles. Des Chinois entrèrent comme main-d'œuvre bon marché, durant l'expansion des États-Unis vers l'ouest. De nombreux autres Européens vinrent ensuite.

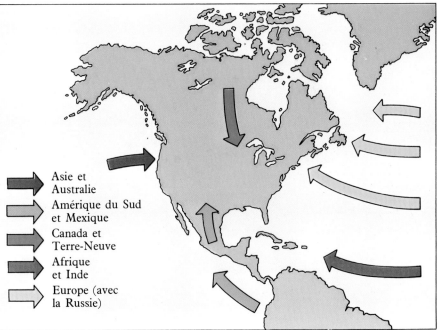

Asie et Australie

Amérique du Sud et Mexique

Canada et Terre-Neuve

Afrique et Inde

Europe (avec la Russie)

Sites protégés

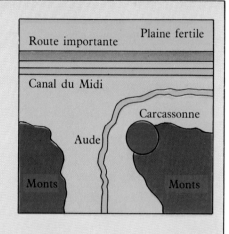

Depuis les âges reculés, les hommes se sont installés en des lieux qui pouvaient être défendus facilement contre les attaques de tribus voisines ou d'armées ennemies. Les armes principales étaient alors les arcs et les flèches, de sorte qu'un lieu élevé, qu'on pouvait entourer d'un rempart, constituait une bonne position de défense. La ville fortifiée de Carcassonne, dans le sud de la France, fut construite sur une pente rocheuse au début du moyen âge. Elle se trouve à un croisement de routes, là où l'Aude débouche dans une plaine. La route principale de Narbonne à Toulouse passe à proximité, et un canal parallèle fut creusé plus tard. La ville fortifiée subsiste toujours, entourée de ses hauts remparts. Une ville plus récente s'est étendue en dehors de ces murs. Quantité d'autres villes et villages fortifiés furent construits sur des hauteurs, spécialement durant les époques troublées, de guerres et d'invasions.

Carcassonne

Eau disponible

Dans les déserts, l'eau est la chose la plus importante. C'est pourquoi les petites villes des déserts ont toujours été établies en des lieux jouissant d'un bon approvisionnement en eau. Les villes d'oasis d'Algérie en sont de bons exemples. De la pluie provenant de la Méditerranée tombe sur le versant nord-ouest de l'Atlas, chaîne montagneuse d'Afrique du Nord, qui lui fait face. L'eau s'infiltre dans une couche de roche perméable qui passe sous la montagne, et qui affleure de l'autre côté dans le désert du Sahara. L'eau qui sort de la roche forme là les petits étangs des oasis. Des villages et de petites villes se développèrent autour de ces lieux, où la nature fournissait de l'eau.

Une oasis

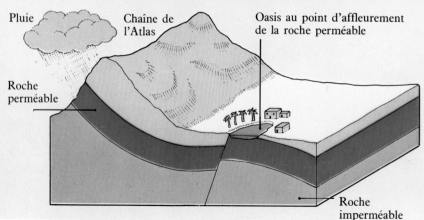

Sites industriels

Les villes industrielles sont souvent établies dans des régions où on trouve les matières premières utilisées par les industries. Pour fabriquer de l'acier, il faut du minerai de fer et du charbon pour le fondre. Ces deux matières se trouvaient dans le sud du pays de Galles, ce qui permit le développement d'une industrie métallurgique lourde. Les matières premières furent récoltées d'abord à la surface du sol, puis il fallut progressivement les chercher sous terre en creusant des mines, particulièrement dans les vallées et les montagnes. Les villes se développèrent dans les vallées, tandis que les pentes des montagnes étaient occupées par des cultures.

Ville d'une vallée industrielle

Les villes s'étendent au fond des vallées, enserrées entre des monts élevés.

Développement de villes dans les vallées

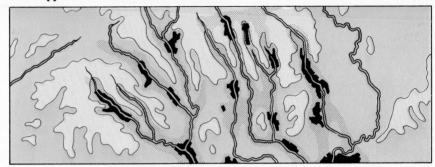

Villes nouvelles

Brasilia, la capitale du Brésil créée de toutes pièces, est probablement la plus ambitieuse cité nouvelle jamais construite. Elle fut établie en pleine forêt tropicale, afin de déplacer l'activité du pays vers l'intérieur des terres, et les immeubles des divers ministères furent conçus en un style ultramoderne. Brasilia fut inaugurée en 1960, et n'avait alors ni liaison routière ni ferroviaire, de sorte que les personnes et les matières devaient être amenées par avion. La ville elle-même avait d'ailleurs la forme d'un avion. Contrairement aux anciennes agglomérations, les villes nouvelles sont conçues comme un ensemble, où tous les services sont prévus, notamment les écoles, les hôpitaux et les transports publics.

Brasilia

Cartes de la Terre

La Terre vue de l'espace

Ligne de latitude, ou parallèle

Ligne de longitude, ou méridien

N

Équateur

S

Projection cylindrique

Les hommes ont besoin de cartes géographiques de la Terre pour diverses raisons, et ces cartes sont d'autant plus utiles qu'elles sont précises. La Terre a la forme d'une sphère légèrement aplatie aux pôles. Elle peut être représentée en dimension réduite par un globe terrestre.

La position de tout lieu sur le globe peut être précisée par rapport aux lignes de latitude, parallèles à l'équateur, et à celles de longitude, qui passent par les pôles. La surface courbe de la Terre ne peut être représentée avec exactitude sur une feuille de papier plate. Les cartes planes sont réalisées au moyen de procédés appelés projections.

Si on place une lampe dans un globe terrestre transparent, sa lumière dessinera des ombres sur une feuille de papier enroulée en forme de cylindre autour du globe, par « projection » des détails de sa surface. Le type de carte représenté ci-dessus est un planisphère ainsi obtenu, au moyen d'une des diverses sortes possibles de projections.

Échelle

Des cartes sont réalisées en diverses réductions ou « échelles ». Celles à grande échelle montrent même les sentiers et les contours des maisons ; elles sont utiles pour l'exploration pédestre et touristique d'une petite région. Des cartes à échelle plus réduite représentent par exemple un pays entier, avec les routes principales et les grandes caractéristiques géographiques. Une carte à très petite échelle peut montrer un continent entier. Les diverses zones climatiques et de végétation, ainsi que la répartition de la population peuvent éventuellement y être indiquées.

Usage d'une carte

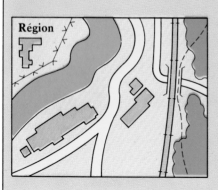

Région

Pays

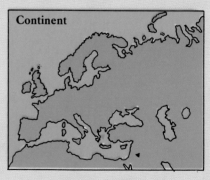

Continent

Triangulation

Pour établir une carte détaillée d'une région, les géomètres utilisent une méthode appelée triangulation. Ils commencent par mesurer de façon très précise une ligne droite au niveau du sol : elle servira de ligne de base pour toutes les mesures suivantes. À partir des deux bouts de cette ligne, ils conduisent des lignes imaginaires, par exemple vers une maison ou une montagne, qu'ils veulent noter sur la carte. En mesurant les angles que ces lignes font avec la ligne de base, le géomètre peut calculer la distance de la maison ou de la montagne. Chacune des nouvelles lignes peut être prise comme ligne de base pour situer d'autres objets. La triangulation sert aussi à mesurer la hauteur des montagnes. Après avoir mesuré, comme ci-dessus, la distance d'une montagne, le géomètre trace sur le sol une ligne bien horizontale, orientée vers elle, puis une ligne dirigée vers son sommet. L'angle formé par ces deux dernières lignes permet de calculer avec précision la hauteur du sommet, quand on connaît sa distance.

Une géomètre

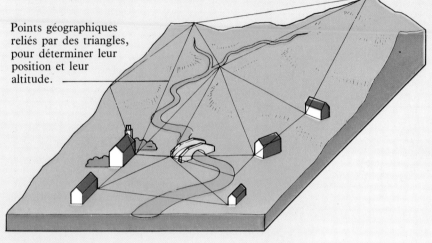

Points géographiques reliés par des triangles, pour déterminer leur position et leur altitude.

Relief

Comment peut-on représenter sur une carte plane l'altitude des vallées et des montagnes ? Un des procédés est l'indication des « courbes de niveau » : ce sont des lignes qui joignent tous les endroits du sol qui se trouvent à la même hauteur au-dessus du niveau de la mer. Ces lignes indiquent donc le relief, et plus elles sont rapprochées, plus la pente du sol est forte. Le relief peut également être indiqué par des couleurs : des teintes de plus en plus foncées, généralement brunes, indiquent les altitudes croissantes. Les zones les plus hautes sont souvent marquées en pourpre ou en blanc, et les cimes par des signes spéciaux.

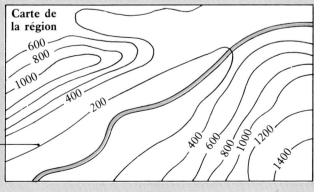

Vue aérienne

Vue aérienne d'une région montagneuse, traversée par un cours d'eau.

Courbe de niveau, ou ligne imaginaire qui relie tous les points situés à la même altitude.

Carte de la région

600
800
1000
400
200
400
600
800
1000
1200
1400

Changements du paysage

Lorsque les hommes passèrent de l'état de chasseurs à celui de fermiers, il y a environ 10 000 ans, ils commencèrent à changer l'aspect de la surface terrestre. Ils ont transformé les forêts en terres cultivées, abattu des flancs de montagnes par l'exploitation minière, et barré le cours de rivières pour créer des lacs artificiels.

Le développement de l'agriculture permit la constitution de villes : le cultivateur obtenait en effet plus de récoltes qu'il n'en avait besoin pour nourrir sa famille, et le surplus de nourriture pouvait être livré aux habitants des villes, en échange de produits de leur artisanat ou de services divers. Les citadins n'étaient plus exposés aux difficultés et dangers de la vie dans la nature sauvage, de sorte que leur population put s'accroître.

Après une période initiale d'expansion, les niveaux de population restèrent relativement stables pendant assez longtemps, et la surface des terres cultivées ne s'accrut que lentement. Ce n'est qu'au cours des derniers millénaires que les hommes ont modifié considérablement le paysage qui les entoure.

Durant cette période, les grandes forêts qui couvraient presque toute l'Europe furent remplacées en grande partie par des terres cultivées. L'industrie se développa surtout durant les deux derniers siècles, en occupant par exemple la vallée de la Ruhr, en Allemagne. De vastes étendues sauvages d'Amérique du Nord furent également couvertes de cultures. De grandes zones de forêt tropicale sont encore abattues chaque jour, en Asie et en Amérique du Sud. Ces changements apportent aux hommes de grands avantages, mais comportent aussi des dangers. Les cultures peuvent réduire la fertilité du sol, et la destruction des habitats naturels risque de faire disparaître les animaux qui les occupaient.

La transformation du désert par l'irrigation

▷ Au début de ce siècle, l'Imperial Valley de Californie (États-Unis) était un désert sec. Mais depuis lors, le cours d'un fleuve voisin, le Colorado, fut contenu par le barrage Hoover, et un canal long de 130 kilomètres, appelé All American Canal, amena de l'eau dans cette région aride. Un réseau de 4 800 kilomètres de canaux et fossés d'irrigation a transformé 2 000 kilomètres carrés de cette région en terres de culture fertiles. Des fruits sont produits en grande quantité dans un sol qui n'était auparavant que du sable sec. Une intervention humaine bien étudiée peut donc produire de bons résultats dans la nature.

Le désert avant l'irrigation

L'irrigation en U.R.S.S.

Plusieurs grands fleuves du nord de l'Union soviétique coulent vers l'océan Arctique à travers des marécages à demi glacés, et leurs eaux s'en vont sans utilité. Un plan ambitieux fut proposé il y a quelques années, consistant à conduire ces eaux vers le sud pour irriguer des régions désertiques. Ce projet ne fut pas réalisé, en raison du risque qu'il comportait : la diminution de la quantité d'eau aboutissant dans l'Arctique pourrait modifier le climat non seulement au plan local, mais aussi à l'échelle mondiale.

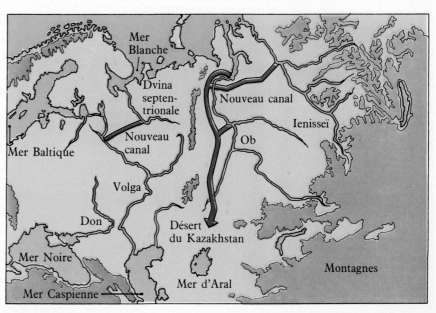

Un désert de poussière

Une transformation du paysage n'est pas toujours une amélioration. Au 19e siècle, le Midwest situé au centre des États-Unis fut cultivé de façon intensive par les colons, au point que le sol s'assécha et devint poussiéreux. En 1934, des vents violents le soulevèrent en nuages de poussière, qui recouvrirent près des deux tiers des États-Unis. Ainsi fut emportée la terre cultivable des quatre États du « dust bowl » (bol de poussière) : le Kansas, l'Oklahoma, le Texas et le Colorado. Il fut impossible d'implanter la moindre culture dans le sol qui restait, et des milliers de fermes furent ruinées. Encore maintenant, beaucoup de terres de ces régions ne permettent que de maigres cultures.

Une ferme abandonnée dans le Midwest des États-Unis

Déserts faits par l'homme

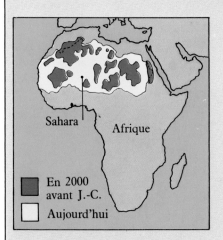

Sahara

Afrique

En 2000 avant J.-C.

Aujourd'hui

Le désert du Sahara

Il y a quatre mille ans, le désert du Sahara était constitué de plusieurs zones désertiques distinctes, séparées par des herbages. Elles s'étendirent et fusionnèrent lorsque les bergers de la région y firent paître des troupeaux trop nombreux : les herbes n'avaient pas le temps de repousser assez pour continuer à nourrir les troupeaux. Alors les moutons les broutèrent jusqu'aux racines. Après la disparition des herbes, plus rien ne tenait le sol ensemble, et il devint un désert de sable, englobant toute la région. La zone qui s'étend au sud du Sahara s'appelle le Sahel. Là aussi, le broutement excessif de la végétation et la sécheresse croissante du sol et du climat sont en train de transformer les étendues d'herbages en désert.

36

Destruction de la forêt tropicale

La forêt tropicale peut également être détruite par une façon de cultiver irréfléchie. Les arbres sont d'abord abattus et brûlés, pour créer des espaces dégagés. Les cultures qu'on y établit épuisent rapidement les éléments nutritifs du sol, qui devient stérile après peu d'années. Alors les fermiers abattent une nouvelle zone d'arbres. La forêt n'a pas le temps de se reconstituer dans la zone précédente, avant que la fine couche de terre soit emportée par les pluies et par le vent.

Forêt brésilienne transformée en pâturage

Création de terres nouvelles

Digue
Zuiderzee
Hollande
Allemagne
Belgique
Terres conquises

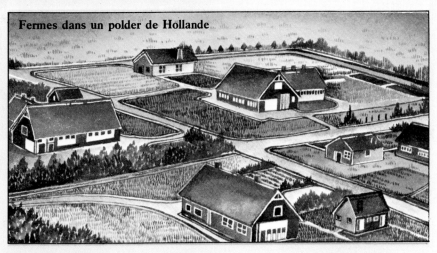

Fermes dans un polder de Hollande

Les Hollandais sont un peuple expert dans la création de terres nouvelles. Au premier siècle après Jésus-Christ se produisit une élévation du niveau de la mer, qui submergea la bande côtière du pays. Ses habitants construisirent alors les premières digues, ou murs de terre destinés à arrêter les marées hautes. Depuis le moyen âge, les Hollandais ont entouré de digues plusieurs zones abritées, proches des côtes et recouvertes de peu d'eau, puis ils ont pompé cette eau. Les terres ainsi asséchées furent appelées des polders ; beaucoup d'entre eux datent du 15e siècle. Au cours des années 1920, une digue fut construite en travers du Zuiderzee, pour transformer ce bras de mer en un lac d'eau douce. Celui-ci fut divisé en diverses parties par d'autres digues, et l'eau recouvrant chaque parcelle fut enlevée par pompage. Les terres ainsi dégagées se trouvent toutes sous le niveau de la mer, et il faut pomper constamment l'eau qui y tombe ou s'y infiltre, pour qu'elles ne soient pas submergées à nouveau. Près du quart du sol de la Hollande est constitué de terres conquises sur la mer de cette manière.

Glossaire

Alluvions. Débris de roches érodées (argile, sable et cailloux), transportés par les cours d'eau et déposés sur leurs rives.

Atmosphère. La couche de gaz qui enveloppe la Terre.

Atoll. Île en forme d'anneau ou de fer à cheval, constituée par des coraux. Son centre est occupé par une lagune d'eau calme.

Climat. Type de temps moyen d'une région, décrit d'après des observations météorologiques qui s'étalent sur plusieurs années.

Continent. Grande étendue de terre entourée d'océans. On distingue l'Ancien continent (Europe, Asie, Afrique), le Nouveau Continent (Amérique), le continent australien et l'Antarctique.

Eau souterraine. Celle qui s'insinue à travers la terre et les roches de la surface terrestre et se rassemble en profondeur.

Équateur. Cercle imaginaire qui divise la Terre en deux moitiés ou hémisphères, perpendiculairement à son axe de rotation.

Érosion. Usure et émiettement des roches de la surface terrestre sous l'action de l'eau, du vent et des intempéries, ainsi que le déplacement, le transport et l'accumulation de leurs débris.

Front. Surface de rencontre entre des masses d'air ayant des températures et des degrés d'humidité différents.

Glacier. Masse de neige comprimée se transformant en glace, qui s'écoule lentement le long d'une pente ou dans une vallée.

Irrigation. Procédé consistant à amener et à répartir de l'eau dans une région sèche pour y permettre des cultures.

Latitude. Position d'un lieu mesurée en degrés (de 0° à 90°) entre l'équateur et un des pôles (Nord ou Sud). Tous les points situés à la même latitude se trouvent sur un même parallèle, ou cercle tracé parallèlement à l'équateur. La mesure complémentaire pour préciser la position d'un lieu se fait dans le sens est-ouest, également en degrés (de 0° à 180°) : c'est la longitude.

Longitude. Position d'un lieu mesurée à partir d'un méridien, ou demi-cercle passant par les pôles, et plus précisément à partir du méridien passant aussi à Greenwich (près de Londres). Tous les points de même longitude se trouvent sur un même méridien.

Moraine. Débris de roches emportés et déposés par un glacier.

Nappe aquifère. Accumulation d'eau souterraine imbibant les roches, et dont la surface se trouve à une certaine profondeur.

Projection. Méthode utilisée pour représenter une surface courbe, comme celle de la Terre, sur une carte géographique plane. Il y a divers types de projections ; aucune n'est parfaite.

Roche perméable. Celle à travers laquelle de l'eau peut passer. Le sable et le calcaire sont des roches perméables. Les roches qui ne laissent pas passer l'eau sont dites imperméables.

Tropiques. Cercles parallèles à l'équateur et marquant les lieux extrêmes où on peut voir le Soleil exactement au zénith (à la verticale) à un moment de l'année. Ce sont le tropique du Cancer, au nord, et celui du Capricorne, au sud. Toute la région située entre ces deux tropiques est aussi appelée les tropiques.

Vapeur d'eau. Eau à l'état gazeux, contenue notamment dans l'atmosphère. Elle devient visible quand elle se condense.

Index